Адаптированное  чтени

Издательство ELI предлагает Вашему вниманию серию адаптированных книг русской классики для читателей всех возрастов. К захватывающим историям прилагаются многочисленные, тщательно составленные упражнения и иллюстрации, которые позволят читателям лучше понять характеры главных героев и проследить сюжетную линию.

Заключительный раздел каждой книги содержит биографию писателя и культурно-историческую справку эпохи.

Все книги серии сопровождаются аудиоприложениями и музыкальными фрагментами из произведений русских композиторов.

А. С. Пушкин

Пиковая дама

Автор пересказа и упражнений Олеся Балтак
Иллюстрации Клариссы Коррадин

Адаптированное ЕЦ чтение

Александр Сергеевич Пушкин
Пиковая дама

Автор пересказа и упражнений Олеся Балтак
Иллюстрации Клариссы Коррадин

Серия адаптированных книг русской классики издательства ELI

Основатели и редакторы серии
Паола Аккаттоли, Грация Анчиллани, Даниэле Гарбулья (Арт-директор)

Графический дизайн
Airone Comunicazione

Раскладка
Марияроза Брицци, Джакомо Фонтани

Технический редактор
Франческо Капитано

Фото и изображения предоставлены
Shutterstock

© 2018 ELI s.r.l.
B.P.6
62019 Recanati (MC)
Italia
T +39 071750701
F +39 071977851
info@elionline.com
www.elionline.com

Формат 11,5/18 pt Гарнитура Таймс
Отпечатано в Италии компанией Tecnostampa Recanati - ERR001.01
ISBN 978-88-536-2653-0
Первое издание: сентябрь 2018 г.

www.eligradedreaders.com

СОДЕРЖАНИЕ

Данные символы указывают начало и конец фрагмента записи

начало ▶   **стоп** ■

Главные герои

Герман

князь Павел
Александрович
Томский

графиня Анна
Федотовна
Томская

Лизавета Ивановна
(Лиза), воспитанница
графини

конногвардеец
Нарумов

Чекалинский

1 **Напишите цифры.**

1	ионд	один
2	адв	....
3	итр	....
4	ееырчт	....
5	ятпь	....
6	естшь	....
7	емсь	....
8	оевсмь	....
9	еятдвь	....
10	яедтсь	....

2 **Соедините названия карт и цифры.**

а	♠ двойка		5
б	♠ тройка		2
в	♠ четвёрка		7
г	♠ пятёрка		3
д	♠ шестёрка		9
е	♠ семёрка		4
ж	♠ восьмёрка		6
з	♠ девятка		10
к	♠ десятка		8

3 **Напишите рядом с картой цифру.**

а 3 дама
б ☐ туз
в ☐ король
г ☐ валет

 ❶ ❷ ❸ ❹

4 **Напишите слова в тексте.**

ИГРА В КАРТЫ

> ~~игра~~ игры игрок любви компенсация
> категории карты деньги

Карты - это очень популярная и интересная **(1)** ......игра........
Первые **(2)** .... были ещё в XIV веке, мы знаем про
карты Таро в Европе. Потом были такие **(3)** .... как
фараон, вист и преферанс. Человек, который играет в карты –
(4) .... Если игра идёт хорошо, можно выиграть
(5) .... Если игра идёт плохо, можно проиграть.
Для людей, которые плохо играют в карты, есть маленькая мо-
ральная **(6)** ....: мы говорим, что если **«не везёт в
картах, повезёт в любви!»**. Это значит, что если человек играл
плохо и проиграл деньги, он будет счастлив в **(7)** ....
В картах есть четыре **(8)** ....: пики ♠, трефы ♣, буб-
ны ♦, червы ♥.

5 Напишите глаголы **играть – выиграть – проиграть** в **прошедшем времени.**

1 У него много денег, он вчера ......выиграл...... в карты.
2 Он .... в лотерею один миллион евро.
3 Он .... много денег в покер, и теперь у него большие финансовые проблемы.
4 В августе я был в Лас Вегасе. Я .... плохо и .... много денег.
5 Он .... много денег, он миллионер.
6 В 1815 году Наполеон .... битву под Ватерлоо.
7 Вчера у нас были гости, и моя мама .... на пианино.
8 В 2006 году Италия .... чемпионат мира по футболу.
9 Вчера вечером актёры .... «Юлия Цезаря» в театре.
10 В воскресенье мы .... в баскетбол. Мы .... очень плохо и наша команда ....
11 В прошлую субботу дети .... в футбол на стадионе.

6 Заполните таблицу.

герцогиня   королева   княгиня царевна   царица   принцесса

	ЕВРОПА		РОССИЯ	
	император	императрица	император	императрица
	король	....	царь	....
	принц	....	царевич	....
	герцог	....	князь	....
	маркиз	маркиза	маркиз	маркиза
	граф	графиня	граф	графиня
	барон	баронесса	барон	баронесса

Глава 1

2 Однажды офицеры играли в карты у гвардейца*
Нарумова. Длинная зимняя ночь прошла быстро.
Офицеры сели ужинать в пять часов утра. Кто вы-
играл, ел с большим аппетитом, а кто проиграл, си-
дел за столом и смотрел в свою пустую тарелку.*
Но вот принесли шампанское, и все заговорили.

— Ты выиграл, Сурин? — спросил хозяин.*

— Нет, проиграл, как обычно. Я несчастлив в
картах. Я всегда проигрываю.

— Посмотрите на Германна! — сказал один из
гостей.* — Он никогда не играет в карты, а сидит
с нами до пяти часов утра и смотрит на нашу игру!

— Игра мне очень нравится, но у меня не так много денег, чтобы рисковать ими, — сказал Германн.

— Германн — немец, он большой прагматик. Я
его понимаю! — сказал Томский. — А вот кого я не
понимаю, так это мою бабушку.

— Как? Почему? — спросили гости.

— Потому что она знает секрет трёх карт, но никогда не играет, — ответил Томский. — Моя бабушка,

---

гвардеец офицер гвардии
тарелка предмет для еды
хозяин человек, в дом
которого приходят друзья

гость человек, который идёт в
дом друга на обед или ужин

графиня Анна Федотовна Томская, шестьдесят лет назад жила в Париже. Бабушка, тогда ещё молодая и красивая женщина, была там в большой моде. Все хотели увидеть la Vénus moscovite. В то время в Париже все дамы играли в фараон. Однажды бабушка проиграла в карты герцогу Орлеанскому, брату короля. Она не знала, что ей делать, у неё не было денег.* Бабушка хотела попросить денег у мужа, но он сказал, что у него были большие финансовые проблемы, и он не мог ей помочь. Тогда она попросила денег в долг* у друзей, но никто из друзей не ответил ей. Никто не хотел ей помочь. Бабушка не знала, что делать.

В то время у неё был один хороший друг, граф Сен-Жермен, человек очень интересный. Люди о нём говорили, что он шпион* и шарлатан,* но бабушка никому не верила и всегда очень любила графа. Бабушка знала, что граф Сен-Жермен был богат и у него было много денег.

Она написала ему письмо* и попросила ей помочь. Как только граф Сен-Жермен получил пись-

деньги
деньги в долг кредит
шпион (от немецкого *Spion* и итальянского *spione*) секретный агент
шарлатан (от французского *charlatan* и итальянского *ciarlatano*) человек, который работает без диплома или знаний, непрофессионал
письмо почтовая или письменная корреспонденция

мо бабушки, он немедленно* приехал к ней. Бабушка рассказала ему свою историю и попросила у него денег.

Граф Сен-Жермен внимательно выслушал графиню и потом ответил, что он не может дать ей денег, потому что у него самого были финансовые проблемы, но он знает секрет трёх карт, и этот секрет поможет ей выиграть в карты у герцога Орлеанского. В тот же вечер бабушка поехала в Версаль. Герцог Орлеанский сидел за столом и играл в карты. Бабушка извинилась перед герцогом и сказала, что привезёт деньги на следующий день. Потом она села играть. Бабушка выбрала карту. Карта выиграла. Бабушка выбрала вторую карту. Карта опять выиграла. Все люди в зале перестали говорить и играть. Все смотрели только на бабушку и на герцога. Бабушка поставила на третью карту,* и третья карта опять выиграла. Так бабушка отыграла все свои деньги.*

немедленно в тот же момент
поставить на карту поставить деньги на карту, играть на деньги

отыграла все свои деньги выиграла все свои деньги, которые раньше проиграла

Все офицеры слушали Томского с большим интересом.

— Случай!* — сказал один из гостей.

— Сказка!* — сказал Германн.

— Как! — сказал Нарумов, — у тебя есть бабушка, которая знает секрет трёх карт, а ты не спросил у неё, какие это карты?

— У бабушки было четыре сына, среди них и мой отец, все большие игроки в карты. Я и мои братья тоже любим игру, но бабушка никогда никому из нас не открыла секрета трёх карт, — ответил Томский. — Но вот одну интересную историю рассказал мне однажды мой дядя, граф Илья Ильич. Вы помните, был такой человек, Чаплицкий? Он умер* несколько лет тому назад в большой бедности,* когда проиграл миллионы в карты. Когда он был очень молод, он проиграл много денег. Бабушке стало его жалко, она тогда открыла ему секрет трёх карт. Чаплицкий поставил на три карты бабушки и отыграл все свои деньги... — Томский

случай удача, фортуна
сказка история для маленьких детей
умереть не жить, закончить жизнь

бедность жизнь бедного человека, жизнь без денег

сделал паузу. — Ну да ладно, поздно уже, без четверти шесть, пора всем ехать домой.

Молодые люди допили шампанское и поехали домой. Германн медленно шёл по улице. Он не мог забыть графиню и её три карты. «Три карты! Три карты! Три карты!» — повторял он слова Томского.

Германн был сыном обрусевшего немца.* Его отец оставил ему маленький капитал. Германн не брал процентов с капитала, а жил только на одно жалование* и на всём экономил. У него было мало друзей. Германн был скрытным и честолюбивым человеком,* но в душе его была буря* эмоций. Германну очень нравилась игра в карты, но он никогда не играл. Он думал, что он не может рисковать своими деньгами, поэтому каждую ночь он смотрел, как его друзья играют, выигрывают и проигрывают, но сам он никогда никому не показывал своего интереса к игре.

История о трёх картах сильно поразила* Германна. Он не спал всю ночь.

обрусевший немец человек из Германии, который приехал в Россию и живёт там
жалование деньги, которые давали человеку за работу в XIX веке

скрытный и честолюбивый человек закрытый и амбициозный человек
буря сильный ветер, часто шторм в море или океане, ураган
поразить шокировать

«Три карты...,— думал он, — что я должен сделать, чтобы графиня открыла мне секрет трёх карт!...»

На следующий день Германн шёл по одной из главных улиц Петербурга. Он увидел дом старинной архитектуры и остановился.

— Чей это дом? — спросил он у полицейского.

— Графини Томской, — ответил полицейский.

Это очень поразило Германна. Он стоял перед домом и опять думал о старой графине и о её трёх картах. Ночью он увидел сон:* вот он сидит за карточным столом и играет в карты. Все люди в комнате смотрят на него. На зелёном карточном столе лежат карты, золотые монеты,* деньги. Он ставит одну карту, вторую, третью и выигрывает деньги, много денег...

На следующий день Германн опять пошёл гулять по городу, опять остановился у дома графини и стал смотреть на её окна. В одном окне* он увидел красивую молодую девушку. Она сидела за пяльцами.* Эта минута решила его жизнь. ■

сон когда человек спит ночью, он видит сон (или сны)
золотые монеты

окно
пяльцы, за пяльцами
инструмент для вышивания

1 Поставьте фразы по порядку.

а ☐① Графиня Анна Федотовна жила в Париже.

б ☐ Графиня отыграла все свои деньги.

в ☐ Графиня поехала в Версаль.

г ☐ Графиня не знала, что делать, у неё не было денег.

д ☐ Граф Сен-Жермен открыл ей секрет трёх карт.

е ☐ Однажды она проиграла в карты герцогу Орлеанскому.

ж ☐ Никто не хотел ей помочь.

з ☐ Она выбрала три карты, и все три карты выиграли.

и ☐ Графиня попросила графа Сен-Жермена помочь ей.

2 Напишите глаголы в прошедшем времени.

Однажды графиня Томская **(1)** ....*проиграла*.... в карты герцогу Орлеанскому. Она не **(2)** .... **(знать)**, что делать, у неё не было денег. Графиня **(3)** .... **(хотеть)** попросить денег у друзей, но никто не **(4)** .... **(хотеть)** ей помочь. У неё **(5)** .... **(есть)** один хороший друг, граф Сен-Жермен. Графиня **(6)** .... **(написать)** ему письмо и **(7)** .... **(попросить)** ей помочь. Граф Сен-Жермен **(8)** .... **(открыть)** ей секрет трёх карт.

3 Напишите, правильно ✔ или неправильно ✗.

1 Германн был сыном обрусевшего <u>итальянца</u>.
☒ ....*немца*......

2 Его отец оставил ему большой капитал. ☐ ....

3 Германн на всём экономил. ☐ ....

4 У него было много друзей. ☐ ....

5 Германну не нравилась игра в карты. ☐ ....

6 Он не хотел рисковать своими деньгами. ☐ ....

7 История о трёх картах сильно поразила Германна.
☐ ....

8 В окне дома графини Германн увидел старую некрасивую женщину. ☐ ....

1 Найдите названия предметов одежды.

1	a сапоги	10 ☐	шаль
2	☐ плюмаж	11 ☐	браслет
3	☐ эполеты	12 ☐	перчатка
4	☐ сабля	13 ☐	пальто
5	☐ мундир	14 ☐	бальное платье
6	☐ галстук	15 ☐	туфли
7	☐ офицерская шляпа	16 ☐	ожерелье
8	☐ панталоны	17 ☐	роза в волосах
9	☐ офицерский шарф	18 ☐	дамская шляпка
		19 ☐	серьги

Глава 2

▶ 3 Старая графиня Анна Федотовна Томская сидела
перед зеркалом* в своей комнате, в элегантном
дамском будуаре,* за утренним туалетом. Три девушки помогали ей. Старая графиня не была красивой. Она была очень старой, ей было восемьдесят семь лет, но у неё были все ритуалы дамского
туалета, как и шестьдесят лет тому назад, когда она
была молодой и красивой и жила в Париже. У окна
сидела за пяльцами девушка, её воспитанница.*

— Здравствуйте, grand'maman, — в комнату
вошёл молодой офицер.— Bon jour, mademoiselle
Lise. Grand'maman, я к вам с просьбою.

— Что такое, Paul?

— Я бы хотел привезти одного моего друга к
вам на бал* в пятницу.

— Хорошо, — ответила графиня. — Привози.
Ты был вчера у Елецких?

зеркало декоративный
элемент интерьера
будуар (от французского
boudoir) дамская комната,
ванная, гардероб и/или спальня
воспитанница молодая девушка
из бедной семьи, которая живёт
у богатых родственников в роли
компаньонки или приёмной
дочери
бал большой танцевальный
вечер в доме у богатых людей

— Да, было очень весело, мы танцевали до пяти часов утра. Елецкая была очень красивая!

— Елецкая! Да что в ней красивого? Вот её бабушка, княгиня* Дарья Петровна, была очень красивой! Сколько лет ей уже?

— Как сколько лет? Она умерла семь лет назад!

— Умерла? А я и не знала! Мы вместе были фрейлинами* у императрицы...

И графиня в сотый раз рассказала внуку свою историю о том, как она была фрейлиной при дворе* императрицы в Петербурге. Потом графиня продолжила свой туалет.*

— Кого вы хотите привезти? — тихо спросила Лизавета Ивановна.

— Нарумова. Вы его знаете?

— Нет, я не думаю, что я его знаю! Он офицер?

— Офицер.

— Инженер?

— Нет! Он кавалерист.* А почему вы думали, что он инженер?

княгиня русская принцесса или герцогиня
фрейлина (от немецкого *Fräulein*) дама при императрице
двор 1. место возле дома 2. место, где живёт монарх, его семья и дворяне, царский дворец
туалет (от французского *toilette*) процесс подготовки дамы к выходу на публику: платье, макияж, причёска
кавалерист офицер кавалерии

Лиза не знала, что ответить.

— Paul, — сказала графиня, — я все книги в домашней библиотеке прочитала. У тебя есть какой-нибудь новый интересный роман?

— Хорошо, grand'maman, принесу в следующий раз. А сейчас, простите, grand'maman: я спешу... Простите, Лизавета Ивановна! А почему вы думали, что Нарумов инженер?

Лизавета Ивановна ничего не ответила. Томский вышел из комнаты. Графиня одевалась за ширмой.* Лизавета Ивановна осталась одна. Она подошла к окну и посмотрела на улицу. Вдруг перед домом она увидела молодого офицера. В эту минуту графиня вышла из-за ширмы. Она была одета для прогулки* по городу.

— Лиза, — сказала графиня, — мы едем гулять.

Девушка встала. В этот момент в комнату вошёл слуга* и принёс графине новые книги от князя* Павла Александровича.

— Хорошо!— сказала графиня. — Лизанька, Лизанька! Куда ты бежишь?

ширма элемент мебели, деталь интерьера
прогулка активный отдых; идти гулять в парк, в город, в лес

слуга домашний работник, лакей
князь русский принц или герцог

— Одеваться.

— Нет, это потом, сейчас садись здесь, открой книгу и читай мне её вслух...*

Лиза взяла книгу и начала читать.

— Громче! — сказала графиня. — Я ничего не слышу!

Девушка прочитала ещё две страницы.

— Не нравится мне эта книга, — сказала графиня. — А где карета?*

— Карета готова, — ответила Лизавета Ивановна.

— Карета готова, а ты ещё не одета? — спросила графиня. — Тебя всегда надо ждать!

Лизавета Ивановна побежала в свою комнату и быстро оделась.

— Наконец! — сказала графиня. — А какая сегодня погода* на улице? Кажется, ветер.*

— Погода хорошая, ветра нет! — ответил слуга.

— Нет, откройте окно, я сама хочу посмотреть! Вот, пожалуйста: холодный ветер! Нет, мы никуда не поедем!

читать вслух читать громко
карета старинный вид транспорта

погода климат, атмосферные процессы, такие как дождь, ветер, снег
ветер горизонтальное движение воздуха

«И вот это — моя жизнь!» — грустно подумала Лизавета Ивановна.

Лизавета Ивановна, Лиза, бедная воспитанница графини Томской, была очень несчастлива.* Вот уже много лет она жила в доме у старой богатой графини. Старая графиня не была злой или плохой женщиной, но как и все старые люди, она была очень капризной и эгоистичной. Ей нравился двор, балы, придворная жизнь, придворный этикет. Она всегда везде ездила и брала с собой Лизу.

Лизавета Ивановна была домашней мученицей.* Она всегда во всём была виновата:* она пила чай и брала слишком много сахара; она вслух читала романы и была виновата во всех ошибках* автора; она была вместе с графиней на прогулках и отвечала за плохую погоду и плохую дорогу... Графиня платила Лизе маленькое жалование, но платила она его не всегда и не очень пунктуально. На балах все знали Лизу, но никто никогда не

несчастлива когда человеку плохо, нет счастья
мученица человек с тяжёлой и трагической жизнью

виновата чувствовать вину
ошибка неправильное слово или действие

говорил с ней. Она танцевала только тогда, когда не было vis-à-vis. Дамы подходили к ней и брали её под руку, когда им нужно было идти в туалет. Лиза очень хорошо понимала свою роль. Она с нетерпением ждала «своего принца», но молодые люди искали только богатых невест* и не смотрели на Лизу. А Лиза была в сто раз лучше и красивее богатых и холодных аристократок. Сколько раз уходила она из богатой гостиной графини в свою бедную, маленькую комнату и плакала! Однажды, — это было два дня после игры в карты у гвардейца Нарумова, — однажды Лиза сидела у окна за пяльцами. Она часто сидела у окна с книгой в руках или за работой, за пяльцами. Вдруг за окном она увидела молодого инженера. Он стоял на улице и смотрел на её окно.

Лиза была скромной девушкой,* она не умела кокетничать.* Ей было очень интересно, почему молодой офицер стоит на улице и смотрит на их дом, но она продолжала работать и не смотрела

невеста
скромная девушка простая, хорошая девушка

кокетничать (от французского *coquette*) флиртовать

в окно. Прошло два часа. Она закончила работу, встала и посмотрела на улицу. Молодой офицер стоял на том же месте. Она подумала, что это было очень странно. Лиза пошла обедать. После обеда она опять посмотрела на улицу, но молодого офицера там уже не было, и она про него забыла...

Прошло два дня. Старая графиня решила поехать на прогулку в город. Лиза и графиня вышли на улицу и сели в карету. И тут Лиза опять его увидела. Он стоял рядом, у входа, и смотрел на неё. Лиза очень испугалась,* но никому ничего не сказала. Когда Лиза и графиня приехали домой, Лиза пошла в свою комнату, подошла к окну и посмотрела на улицу. Офицер стоял на том же месте и смотрел на её окно. Сердце Лизы забилось* от нового и неизвестного ей чувства.*

С того дня молодой человек каждый день, в одно и то же время, приходил к дому, где жила Лиза, и долго смотрел на её окно. Между ними была какая-то магнетическая связь.* Лиза смотре-

---

испугаться чувствовать страх, ужас, шок
сердце забилось 🖤
чувства эмоции

магнетическая связь мистический контакт между людьми

ла на него с каждым днём всё дольше и дольше. Через неделю она ему улыбнулась...*

Когда Томский сказал старой графине, что хочет привезти к ней на бал своего друга, офицера Нарумова, сердце Лизы забилось. Но когда она узнала, что он не инженер, она очень пожалела, что своим вопросом открыла свой секрет ветреному* Томскому.

улыбнуться — ветреный как ветер, несерьёзный человек

Упражнения перед чтением

1 Найдите названия мебели и предметов интерьера.

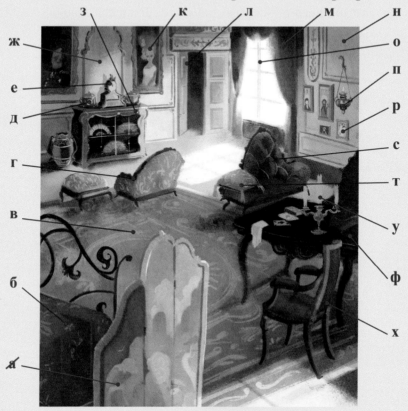

1 **а** ширма
2 ☐ стена
3 ☐ лампада
4 ☐ икона
5 ☐ портрет
6 ☐ кресло
7 ☐ диван
8 ☐ подушка
9 ☐ фарфоровые статуэтки
10 ☐ настольные часы
11 ☐ окно

12 ☐ кровать
13 ☐ стул
14 ☐ стол
15 ☐ зеркало
16 ☐ свеча
17 ☐ ковёр
18 ☐ шторы
19 ☐ шкаф
20 ☐ дверь

2 Напишите слова в тексте.

> дверь   иконы   комнате   кресла   кровать   коридор
> лампада   портрете   подушками   стене   ~~спальню~~   часы

Германн вошёл в **(1)** .....спальню..... графини. На стене были старинные **(2)** ...., перед иконами горела золотая **(3)** .... На **(4)** .... спальни висели два портрета. На первом **(5)** .... был элегантный мужчина, а на втором — молодая красивая женщина. Рядом с окнами стояли старые **(6)** .... и диваны с большими **(7)** .... По всей **(8)** .... стояли фарфоровые статуэтки, настольные **(9)** ...., веера, дамские игрушки. Германн пошёл за ширмы, там стояла маленькая железная **(10)** .... Справа была **(11)** .... в кабинет графини, а слева — в **(12)** ....

3 Соедините названия комнат и их определения.

1 [в] гостиная   **а** там мы готовим еду

2 ☐ ванная   **б** там мы спим

3 ☐ кухня   **в** там мы отдыхаем

4 ☐ спальня   **г** там мы принимаем душ
                              или ванну

5 ☐ будуар   **д** проход из одной комнаты
                              в другую
6 ☐ коридор

7 ☐ столовая   **е** там мы едим

                       ж комната аристократки

4 Выберите правильное слово.

1 На стене **висит**/лежит/стоит картина.
2 На диване **висят/лежат/стоят** подушки.
3 На стене **висит/лежит/стоит** зеркало.
4 На столе **висят/лежат/стоят** часы.
5 Рядом с окном **висит/лежит/стоит** диван.
6 На столе **висит/лежит/стоит** свеча.
7 За ширмой **висит/лежит/стоит** кровать.
8 На полу **висит/лежит/стоит** ковёр.

Глава 3

4 Лиза была в своей комнате. Как только она сняла пальто и шляпку, старая графиня решила, что они поедут на прогулку. Лиза и графиня вышли на улицу, где их уже ждала карета. Старая графиня села в карету, а Лиза всё ещё стояла на улице. Вдруг к карете быстро подошёл инженер, взял Лизу за руку* и оставил в её руке письмо.

Лиза очень испугалась, но не сказала ни слова. Она спрятала письмо за перчатку и всю дорогу ничего не слышала и не видела. Она думала только о письме молодого офицера.

Как только они приехали домой, Лиза побежала в свою комнату и быстро прочитала письмо. Германн писал о своей любви* к Лизе. Письмо было красивое, длинное, романтичное. Германн переписал его слово в слово из немецкого романа.* Лиза по-немецки не понимала и немецких романов не

рука
любовь

роман книга, длинная история на историческую или любовную тему

32

читала. Письмо ей очень понравилось, но она не знала, что ей делать: написать ответ? — отправить ему его письмо без ответа? — не сидеть больше у окна? — не смотреть на него?

Лиза решила написать Германну ответ: «Я думаю, что вы хороший человек и вы не хотели оскорбить* меня вашим письмом. Наше знакомство не может начаться таким образом. Я вас не знаю. Я возвращаю вам ваше письмо. Пожалуйста, больше мне не пишите».

На следующий день, когда Лиза увидела Германна на улице, она открыла окно и бросила письмо вниз. Германн взял письмо и пошёл в кондитерскую лавку.*

Три дня после этого девушка из кондитерской лавки принесла Лизе новое письмо.

— Это ошибка, — сказала Лиза. — Это письмо не ко мне!

— Нет, к вам! — ответила девушка.

Лиза быстро прочитала письмо. Германн просил её о встрече.

оскорбить сказать или сделать что-то плохое, вербальная агрессия

кондитерская лавка кафе или магазин с тортами, конфетами и шоколадом

— Не может быть! — сказала Лиза. — Это письмо не ко мне! — и разорвала письмо* Германна. — И пожалуйста, не носите мне больше никаких писем!

Но Германн писал Лизе каждый день. Она уже не думала отсылать письма. Она читала их, перечитывала, а потом начала на них отвечать. И вот, наконец, она написала ему:

«Сегодня вечером мы будем на балу до двух часов. Приходите в дом графини в половине двенадцатого. Все будут спать, идите прямо до спальни графини. В спальне есть две маленькие двери: справа — дверь в кабинет* графини, слева — дверь в коридор. Там лестница,* которая ведёт в мою комнату».

Германн ждал вечера. Уже в десять часов он был перед домом графини. Было очень холодно, шёл снег.* Германн стоял в одном мундире,* но он не чувствовал холода, снега, ветра. На улице никого не было. Германн ждал. Он видел, как графиня и Лиза сели в карету и поехали на бал. Он посмотрел

разорвать письмо
кабинет комната, где люди пишут, читают книги, работают

лестница
снег
мундир пиджак офицера

на часы: было двадцать минут двенадцатого. Ещё десять минут!

Ровно в половине двенадцатого Германн вошёл в дом. В доме все спали, у входа никого не было. Германн пошёл на второй этаж. Старый слуга спал в коридоре в старом кресле. Германн тихо прошёл мимо слуги и вошёл в спальню графини. На стене были старинные иконы, перед иконами горела золотая лампада. На стене спальни висели два портрета, которые написала в Париже m-me Lebrun. На первом портрете был элегантный мужчина лет сорока, в светло-зелёном мундире со звездой,* а на втором — молодая красивая женщина с розой в волосах и в богатом платье. Рядом с окнами стояли старые кресла и диваны с большими подушками. По всей комнате стояли фарфоровые статуэтки, настольные часы работы известного Leroy, веера,* дамские игрушки. Германн пошёл за ширмы, там стояла маленькая железная кровать. Справа была дверь в кабинет графини, а слева — в коридор.

звезда   веер

Германн открыл дверь и увидел лестницу, которая вела в комнату Лизы... Он быстро закрыл дверь в коридор, открыл дверь в кабинет графини и стал ждать.

Время шло медленно. Всё было тихо. Часы пробили двенадцать, потом час, потом два часа утра, — и вот Германн услышал карету графини. Графиня вошла в спальню, а Лиза прошла в свою комнату. Три девушки помогали графине переодеться. Она сняла бальное платье и надела ночную сорочку* и ночной чепец.* Потом старая графиня села в кресло. Девушки вышли из комнаты и унесли свечи.* В комнате было темно, только одна лампада горела перед иконами. Германн тихо открыл дверь и вошёл в комнату.

У графини была бессонница.* Она сидела в кресле, вся жёлтая, в состоянии какого-то транса. Вдруг она увидела Германна.

— Не бойтесь, ради Бога, не бойтесь! — сказал Германн. — Я не бандит!* Я пришёл просить вас о помощи...

ночная сорочка одежда, в которой люди спят
ночной чепец головной убор для сна
свеча

бессонница когда человек не хочет и не может спать ночью
бандит (от итальянского *bandito*) криминальный элемент, плохой человек

Графиня смотрела на него и ничего не говорила. Германн подумал, что она плохо слышит, и громко повторил свои слова ещё раз. Но графиня не отвечала.

— Вы можете сделать меня самым счастливым человеком! Я знаю, что у вас есть секрет трёх карт! — сказал Германн. — Вы можете помочь мне, и это ничего не будет вам стоить...

Графиня наконец поняла, о чём говорил Германн.

— Это всё неправда, это была шутка,* — сказала она.

— Нет, я знаю, что это правда! Вспомните Чаплицкого, вы помогли ему отыграться, вы открыли ему секрет трёх карт! Помогите и мне, откройте и мне ваши карты! — просил Германн. — Кому нужен ваш секрет? Вашему внуку? Он богат, он не знает цены* деньгам. А я знаю, что такое деньги! Я никогда не играл и не буду играть, только один раз я поставлю на эти ваши три карты! Ваш секрет

шутка смешная или несерьёзная история, анекдот

цена денежный эквивалент продукта

будет в хороших руках. Я никому его никогда не открою, это будет наш секрет, только наш! Не откажите мне в моей просьбе! Откройте мне ваш секрет трёх карт!

Германн ждал ответа графини, но она не отвечала. Германн стал на колени.*

— Вы можете открыть ваш секрет только мне, одному мне! Подумайте, что счастье человека находится в ваших руках! Подумайте, что не только я, но дети мои, внуки и правнуки будут молиться* за вас! Почему вы не хотите открыть мне эти ваши три карты? Может, вы продали душу* дьяволу* за этот секрет? Так вот в чём дело! Я готов взять грех* ваш на свою душу!

Старая графиня не отвечала ни слова. Она сидела в кресле и с ужасом смотрела на Германна.

Германн встал.

— Старая ведьма!* — сказал он. — Сейчас ты мне ответишь!..

С этими словами Германн вынул из кармана

стать на колени

молиться

душа внутренний, нематериальный, психический мир человека

дьявол

грех нехорошее, неправильное, аморальное действие

ведьма

пистолет.* Графиня увидела пистолет, в ужасе закрыла лицо руками и потеряла сознание.*

— Спрашиваю вас в последний раз, — сказал Германн,— вы мне откроете секрет ваших трёх карт? Да или нет?

Графиня не отвечала. Германн увидел, что она умерла.

пистолет

потеряла сознание

Упражнения после чтения

1 Найдите лишнее слово.

	а		б		в		г	
1	а	комната	б	дом	в	гостиная	г	~~офицер~~
2	а	графиня	б	город	в	улица	г	канал
3	а	девушка	б	мужчина	в	женщина	г	мундир
4	а	зима	б	весна	в	игра	г	лето
5	а	платье	б	перчатка	в	шляпка	г	игрок
6	а	прогулка	б	книга	в	журнал	г	газета
7	а	окно	б	бал	в	дверь	г	комната
8	а	спальня	б	слуга	в	кабинет	г	коридор
9	а	письмо	б	колени	в	лицо	г	руки
10	а	пистолет	б	портрет	в	ширма	г	часы

2 Напишите, правильно ✔ или неправильно ✘.

1 Лизавета Ивановна была бедной <u>сестрой</u> графини Томской.
   ✘ воспитанницей

2 Лизавета Ивановна была очень счастлива. ☐ ....

3 Старая графиня была очень капризной и эгоистичной.
   ☐ ....

4 Лиза редко сидела у окна с книгой в руках или за работой.
   ☐ ....

5 Однажды Лиза увидела за окном молодого гвардейца.
   ☐ ....

6 Между Лизой и офицером была какая-то магнетическая связь.
   ☐ ....

7 Германн написал Лизе письмо о своей любви к графине.
   ☐ ....

8 Лиза написала Германну ответ. ☐ ....

9 Германн вошёл в дом графини рано утром. ☐ ....

10 В шесть часов утра приехала графиня. ☐ ....

11 У графини была бессонница. ☐ ....

12 Германн просил графиню открыть ему секрет трёх карт.
   ☐ ....

13 Графиня открыла Германну секрет трёх карт. ☐ ....

14 Германн вынул из кармана пистолет и убил графиню.
   ☐ ....

Упражнения перед чтением

1 Как вы думаете, что будет дальше? Напишите, ДА ✔ или НЕТ ✗.

		ДА	НЕТ
1	Старая графиня умерла.	☑	☐
2	Германн пойдёт к Лизе.	☐	☐
3	Лиза будет ждать Германна в своей комнате.	☐	☐
4	Германн расскажет всё Лизе.	☐	☐
5	Лиза скажет Германну, что она его любит.	☐	☐
6	Германн скажет Лизе, что он её тоже любит.	☐	☐
7	Лиза будет чувствовать свою вину в смерти старой графини.	☐	☐
8	Германн будет чувствовать свою вину в смерти старой графини.	☐	☐
9	Лиза подумает, что Германна интересуют только деньги и секрет трёх карт старой графини.	☐	☐
10	Лиза откроет Германну секрет трёх карт.	☐	☐

2 Как вы думаете, кто что говорит? Напишите: Германн, Лиза, князь Томский.

1 Откройте мне ваш секрет трёх карт! ....Германн....

2 Германн говорил мне, что вы очень нравитесь его другу. ....

3 Этот Германн человек странный: у него профиль Наполеона, а душа Мефистофеля. ....

4 Я думаю, что у него по крайней мере три злодейства на душе. ....

5 Но я не знаю никакого Германна. ....

6 Где же вы были? ....

7 В спальне у старой графини, я сейчас от неё. ....

8 Графиня умерла. ....

9 Боже мой!.. Что вы говорите? ....

10 И кажется, я причина её смерти. ....

11 Вы чудовище! ....

12 Я не хотел её смерти. ....

13 Вы должны сейчас выйти из дома, потом будет слишком поздно. ....

14 Скажите мне, где выход, и я пойду один. ....

Глава 4

5 Лиза сидела в своей маленькой комнате и ждала Германна. Она была очень красивой в своём бальном платье.

Лиза была одна. Несколько минут назад она и старая графиня приехали домой после бала. Лиза отказалась от помощи горничной* девушки и сразу пошла в свою комнату. Она открыла дверь, в комнате никого не было. Лиза села на кровать и стала ждать. В доме было темно и тихо, все спали. В её комнате тоже было темно, на столе горела одна свеча.

Лиза думала о Германне. Когда она вошла в комнату, она хотела увидеть его там, но в то же время в её душе была надежда,* что это всё неправда, это только сон, и Германна нет. Три недели назад она увидела Германна в первый раз на улице перед своим окном, — и вот она уже писала ему письма, отвечала ему, а сейчас сидела в своей комнате и

горничная служанка

надежда вера в позитивное и хорошее будущее

ждала встречи с ним! Прошло всего три недели, но как это всё было быстро и странно! Она не могла понять, как она могла решиться на встречу с незнакомым человеком в своей комнате, ночью, одна! Лизе стало страшно. Она подумала, что она ничего не знала о нём. Она никогда с ним не говорила, она не знала, кто он, откуда он, какой он человек.

На балу Лиза была вместе со старой графиней. Как всегда, никто не говорил с ней. Она сидела вместе с графиней и смотрела на бал. Вдруг князь Томский, внук графини, подошёл к ней. Ветреный Томский флиртовал с молодой княжной* Полиной, но княжна в тот вечер разговаривала с другими офицерами и не смотрела на Томского, поэтому он решил танцевать мазурку* с Лизой. Томский всё время шутил* о странном интересе Лизы к инженерным офицерам и говорил, что он знает всё о её секрете.

— Кто это вам всё сказал? — тихо спросила Лиза.

княжна дочь князя и княгини, русская принцесса
мазурка польский танец

шутить быть несерьёзным, говорить шутки

— Друг одного моего друга, — сказал Томский, — человек очень интересный!

— И как зовут этого интересного человека?

— Его зовут Германн.

Лиза ничего не ответила, но в душе у неё всё похолодело.

— Этот Германн человек странный: у него профиль* Наполеона, а душа Мефистофеля. Я думаю, что у него по крайней мере три злодейства* на душе... Что с вами, Лиза, вам плохо?

— Нет, нет, всё хорошо! У меня немного болит голова... И что же говорил вам этот Германн, или как его зовут?

— Германн говорил мне, что вы очень нравитесь его другу, но я думаю, что Германн это о себе говорил.

— Но я не знаю никакого Германна, где же он меня видел?

— В церкви, на улице, на прогулке, кто его знает! А может быть, в вашем доме, у графини, или ночью, в вашей комнате, когда вы спали!

профиль 🖤   злодейство злое, плохое, криминальное действие

На самом деле ветреный и несерьёзный Томский ничего не знал. Его слова были только шуткой, несерьёзной мазурочной болтовнёй,* но они очень поразили Лизу. Лиза хотела узнать всю правду, но мазурка закончилась, и графиня решила ехать домой.

И вот сейчас Лиза сидела одна в своей комнате и думала, что ей делать. Вдруг дверь открылась, и в комнату вошёл Германн.

— Где же вы были? — тихо спросила Лиза.

— В спальне у старой графини, — ответил Германн, — я сейчас от неё. Графиня умерла...

— Боже мой! Что вы говорите?

— И кажется, я причина её смерти.*

Германн сел на окно рядом с Лизой и всё ей рассказал.

Лиза слушала Германна и ничего не говорила. Она вдруг вспомнила слова Томского, которые он сказал ей на балу: «Этот Германн человек странный: у него профиль Наполеона, а душа Мефистофеля. Я

болтовня несерьёзный разговор   **смерть**

48

думаю, что у него по крайней мере три злодейства на душе...».

Лизе стало страшно, в душе у неё всё похолодело, с ужасом смотрела она на Германна. Значит, это всё неправда: его письма, его слова, его любовь... Деньги — вот о чём всегда думал он! Всё, чего он хотел, это были только деньги! Деньги и секрет трёх карт, который он хотел узнать у старой графини. Лиза горько заплакала. Она была только инструментом в его злодействе, но она чувствовала и свою вину в смерти старой графини.

— Вы чудовище!* — сказала она Германну.

— Я не хотел её смерти, — ответил Германн, — пистолет мой не заряжен.*

Германн смотрел на Лизу, но в душе его было пусто. Ему не было жалко ни старую графиню, ни Лизу. Он думал только о том, что графиня умерла, а он так и не узнал её секрета трёх карт.

Ночь прошла быстро, — и вот уже было утро. За окном было светло. Германн сидел на окне и не

чудовище монстр, плохой человек

пистолет не заряжен пустой, без патронов

говорил ни слова. Лиза поразилась, как сильно он был похож на Наполеона.

— Вы должны сейчас выйти из дома, — сказала Лиза. — Потом будет слишком поздно. Я хотела показать вам секретный ход:* в кабинете графини есть лестница, которая ведёт на улицу, но нужно идти через комнату графини, а мне страшно...

— Скажите мне, где выход, и я пойду один, — ответил Германн.

Лиза взяла ключ* и дала его Германну. Потом она объяснила ему, где кабинет графини, где лестница, где выход. Германн взял её холодную руку, поцеловал её и вышел из комнаты.

В комнате графини было темно. Мёртвая* графиня сидела в кресле. Глаза её были открыты. Германн остановился перед графиней и долго смотрел на неё. Потом он пошёл в кабинет, где был секретный ход на улицу.

секретный ход секретный коридор, выход на улицу
ключ

мёртвый человек, который умер, неживой

Упражнения после чтения

1 Напишите правильный ответ.

1 Германн
- **а** ☐ узнал секрет трёх карт.
- **б** ☑ не узнал секрета трёх карт.
- **в** ☐ не увидел графиню.

2 Томский
- **а** ☐ рассказал Лизе правду о Германне.
- **б** ☐ рассказал Лизе о секрете трёх карт.
- **в** ☐ ничего не знал о Германне и просто шутил.

3 Лиза
- **а** ☐ была рада видеть Германна.
- **б** ☐ чувствовала свою вину в смерти графини.
- **в** ☐ осталась танцевать на балу с Томским.

4 Германн
- **а** ☐ чувствовал свою вину в смерти графини.
- **б** ☐ сказал Лизе, что он её любит.
- **в** ☐ думал о секрете трёх карт.

2 Соедините фразеологизмы и определения.

Душа: в религиозном и философском контексте – нематериальное начало жизни, внутренний психический мир человека. Душа живёт вечно, она не умирает.
Синонимы: сознание, сердце, психея. **Антоним**: тело.

 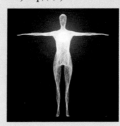 

- **а** **в её душе** была надежда
- **б** **в душе** его было пусто
- **в** три злодейства **на душе**
- **г** **на душе** у него было нехорошо
- **д** **в душе** у неё всё похолодело
- **е** взять грех ваш **на свою душу**
- **ж** вы продали **душу** (дьяволу)

1 ☐ ему было плохо
2 ☐ страшный человек
3 ☐ ей было страшно
4 ☐ 𝖺 она надеялась
5 ☐ у него не было никаких эмоций
6 ☐ отдать душу дьяволу за деньги
7 ☐ взять на себя вину другого человека

3 Напишите фразы а-ж из упражнения 2, левая колонка.

♠ Лиза думала о Германне. Когда она вошла в комнату, она хотела увидеть его там, но в то же время ⓐ в её душе была надежда (1), что это всё неправда, это только сон, и Германна нет.

♠ Почему вы не хотите открыть мне эти ваши три карты? Может, вы ☐ .... (2) дьяволу за этот секрет? Я готов ☐ .... (3)!

♠ Лиза ничего не ответила, ей было страшно, ☐ .... (4).

♠ Германн смотрел на Лизу, но ему не было жалко ни старую графиню, ни Лизу, ☐ .... (5).

♠ Этот Германн человек странный: у него профиль Наполеона, а душа Мефистофеля. Я думаю, что у него по крайней мере ☐ .... (6).

♠ Германн поехал в монастырь, где были похороны графини. Он не думал, что в её смерти была его вина, но ему было плохо, ☐ .... (7).

Упражнения перед чтением

1 Напишите слова в тексте.

> ~~монастырь~~ гроб балдахином катафалке
> смерти церкви в трауре похороны

Германн поехал в (1) .... монастырь ...., где были

(2) .... графини. Он не думал, что в её

(3) .... была его вина, но на душе у него

было нехорошо. В (4) .... было много людей.

(5) .... стоял на богатом (6) ....

под бархатным (7) .... Мёртвая графи-

ня лежала в гробу в белом платье. Все родственники были

(8) ...., но никто не плакал.

Глава 5

6 Три дня после роковой* ночи, в девять часов утра, Германн поехал в монастырь, где были похороны* графини. Он не думал, что в её смерти была его вина, но на душе у него было нехорошо. Голос совести* говорил ему: ты убийца* старухи! Германну не было страшно, он был прагматичным и рациональным человеком. У него было мало христианской веры, но в то же время в голове его было много странных мистических идей. Он верил, что мёртвая графиня могла иметь плохое влияние* на его жизнь. Германн решил пойти на похороны графини, чтобы попросить у неё прощения.

В церкви* было много людей. Семья, близкие и дальние родственники, друзья, слуги, знакомые и незнакомые люди пришли на похороны старой графини. Гроб* стоял на богатом катафалке под бархатным балдахином. Мёртвая графиня лежала

роковой трагический
похороны 🏰
совесть мораль, этика
убийца 🕴

влияние эффект, сила
церковь ⛪
гроб ⚰

в гробу в белом платье. Все родственники были в трауре,* но никто не плакал. Графиня была очень старой, ей было восемьдесят семь лет. Многие родственники думали, что она уже давно умерла, поэтому смерть старой графини никого не удивила.

Молодой монах* вёл службу в церкви.* Он долго говорил о хорошей, длинной и праведной жизни графини. «Но вот сегодня ангел смерти пришёл и забрал её», — молодой монах говорил о христианской смерти графини и о её душе, потом он прочитал молитву.*

Близкие родственники — дети, внуки и правнуки — первые пошли прощаться с мёртвой графиней. Потом пошли дальние родственники, друзья, гости и слуги. Никто не плакал. Пришла и старая подруга графини. Она была очень старая и ходила с трудом, две девушки помогали ей. Она посмотрела на мёртвую графиню, поцеловала её холодную руку и заплакала. Германн тоже решил подойти к гробу. Он низко поклонился и несколько минут лежал на

траур одежда чёрного цвета на похоронах
монах религиозный человек, который живёт в монастыре

служба в церкви религиозная церемония
молитва слова человека к Богу

холодном полу. Потом он встал, подошёл к гробу и поклонился ещё раз. Лицо его было очень бледное,* как и лицо у мёртвой. Германн стоял перед гробом графини и смотрел на неё, как вдруг в эту минуту ему показалось, что мёртвая графиня открыла глаза, посмотрела на него и странно улыбнулась. Германну стало страшно. Он сделал шаг* назад, но оступился и упал на пол церкви. Лиза стояла недалеко от гроба, она всё видела. В тот момент, когда Германн упал, ей стало плохо, и она потеряла сознание. Друзья и родственники помогли Лизе и Германну встать, а один старый аристократ, близкий родственник графини, тихо сказал своему другу, англичанину, что молодой офицер — незаконный сын графини, на что англичанин ответил холодно и без интереса: «Oh?»

После похорон графини на душе у Германна целый день было очень нехорошо. Он обедал в маленьком ресторане и пил очень много вина. Он хотел забыть о мёртвой графине. Ему было страшно

бледный лицо белого цвета
из-за шока, болезни

шаг

и плохо, но от вина ему стало ещё хуже. Германн пошёл домой и лёг спать, как и был, в одежде.

Германн проснулся ночью. Холодный свет* луны* освещал его комнату. Германн посмотрел на часы. Было без четверти три. Сон у него прошёл, он сел на кровать и стал думать о похоронах старой графини.

В это время кто-то с улицы посмотрел в его окно, но быстро отошёл. Германн подумал, что это ему показалось. Через минуту он услышал, как кто-то открыл входную дверь. Германн подумал, что это был его слуга, он часто приходил домой пьяный* и поздно ночью. Германн прислушался. Кто-то тихо ходил по дому, но это был не слуга.

Вдруг открылась дверь, и в его комнату медленно вошла женщина в белом платье. Германн подумал, что это была его старая кормилица,* и очень удивился. Но белая женщина подошла к нему, и тут Германн узнал графиню!

— Я пришла к тебе против своей воли,* — сказала она, — но мне приказали открыть тебе секрет

свет иллюминация
луна
пьяный человек, который выпил много алкогольных напитков

кормилица женщина, которая кормит ребёнка вместо матери
против своей воли когда человек не хочет что-либо делать

трёх карт. Карты эти — тройка, семёрка и туз. Ты должен играть только по одной карте за вечер, и всю жизнь после этого ты больше не должен играть. Я прощаю тебе мою смерть, но ты должен жениться* на моей воспитаннице Лизавете Ивановне...

С этими словами она пошла к двери и вышла из комнаты.

Германн долго не мог прийти в себя.* Он вышел в другую комнату. Его слуга спал на полу. Германн разбудил его. Слуга был пьян и ничего не видел, ничего не слышал и ничего не понимал. Входная дверь была закрыта на ключ. Германн пошёл в свою комнату, сел за стол и записал слова старой графини.

⬛

жениться взять в жёны, иметь семью и жену

прийти в себя чувствовать себя хорошо после травмы или шока

1 Найдите 14 ошибок в тексте.

Три дня после роковой ночи, в девять часов ~~вечера~~, Германн поехал в монастырь, где были похороны графини. В церкви было мало людей. Семья, друзья, слуги, знакомые и незнакомые люди пришли на похороны молодой графини. Мёртвая графиня лежала в гробу в чёрном платье. Все родственники были в трауре, все плакали.

Старый монах вёл службу в церкви. Германн решил подойти к гробу. Лицо его было очень красное, как и лицо у мёртвой. Вдруг Германну показалось, что мёртвая графиня открыла глаза, посмотрела на него и что-то ему сказала. Германну стало весело. После похорон графини на душе у Германна целый день было хорошо. Он обедал в маленьком ресторане, и от вина ему стало очень хорошо. Германн пошёл домой и лёг спать. Он проснулся утром. Кто-то тихо ходил по дому, вдруг открылось окно, и в его кабинет вошла мёртвая графиня. Она открыла Германну секрет трёх карт. Карты эти — тройка, семёрка и дама.

1	..........утра..........
2	....
3	....
4	....
5	....
6	....
7	....
8	....
9	....
10	....
11	....
12	....
13	....
14	....

2 Подчеркните правильное слово.

Германн проснулся **(1) утром/вечером/ночью**. Холодный свет **(2) луны/солнца/кометы** освещал его комнату. Германн посмотрел на **(3) портрет/часы/дверь**. Было без четверти **(4) три/пять/семь**. В это время кто-то с улицы посмотрел в его **(5) лицо/окно/зеркало**. Германн услышал, как кто-то открыл **(6) входную дверь/балкон/окно**. Кто-то тихо **(7) бегал/танцевал/ходил** по дому. Вдруг открылась **(8) дверь/балкон/окно**, и в его комнату медленно вошла женщина в **(9) чёрном/белом/красном** платье. Германн узнал мёртвую графиню!

Упражнения перед чтением

1 **Напишите характеристику каждого героя.**

~~аристократка~~	инженер	внук	прагматик
воспитанница	офицер	девушка	кавалерист
фрейлина	бабушка	молодой	немец
честолюбивый	богатый	небогатый	ветреный
несерьёзный	эгоистичная	старая	экономный
рациональный	красивая	некрасивая	молодая
романтичная	бедная	богатая	капризная
несчастливая			скромная

Германн   Лиза   графиня Томская   князь Томский

.... аристократка ....

....

....

....

....

....

....

2 **Как вы думаете, что будет дальше?**

1 Германн — **а** ☐ расскажет всем своим друзьям о трёх картах.

  → **б** ☑ будет постоянно думать о трёх картах.

  в ☐ не будет думать о трёх картах.

2 Германн **а** ☐ будет играть в карты.

  б ☐ будет смотреть, как его друзья играют в карты.

  в ☐ не будет играть в карты.

3 Германн **а** ☐ выиграет маленькую сумму денег.

  б ☐ выиграет много денег и станет миллионером.

  в ☐ проиграет все свои деньги.

Глава 6

▶ 1 Германн не думал больше о мёртвой графине. Тройка, семёрка, туз — вот он, его секрет трёх карт! Тройка, семёрка, туз — эти слова не выходили из его головы, он постоянно* повторял их. Если он видел красивую молодую девушку, он говорил: «Как она красива и грациозна!... Как тройка червонная!». У него спрашивали: «Который час?» — он отвечал: «Без пяти минут семёрка». Толстый мужчина был в его глазах тузом. Ночью, во сне, он постоянно видел три карты: тройка, семёрка, туз... Они имели разные формы: тройка была большим цветком-грандифлором,* семёрка была готическими воротами,* туз — большим пауком.* Германн должен был поставить на эти карты и выиграть деньги, много денег! Он стал думать об отставке* и о путешествии* в Европу. Германн хотел поехать в Париж и играть там. Он был уверен, что

постоянно часто, каждую минуту
цветок-грандифлор
готические ворота
паук

отставка конец карьеры или работы
путешествие туристическая поездка в другую страну

выиграет в Париже много денег. Фортуна нашла его в Петербурге.

В то время богатые аристократы играли в карты в доме Чекалинского в Москве. Чекалинского в Москве знали все, он всю свою жизнь играл в карты и выиграл миллионы. В его доме был отличный повар,* весёлые друзья и дружеская атмосфера, поэтому многие богатые аристократы любили приходить к нему на игру в карты. Чекалинский приехал в Петербург, — и вот все молодые богатые люди в Петербурге забыли про балы и приехали к Чекалинскому на игру в карты. Нарумов привёз к нему Германна.

В доме у Чекалинского было много гостей. Официанты* подавали еду и шампанское. Несколько генералов и офицеров играли в вист. Молодые люди сидели на бархатных диванах, ели мороженое* и курили трубки.* В гостиной за длинным зелёным карточным столом было двадцать игроков. Хозяин сидел за столом и держал банк. Чекалинский был

повар
официант

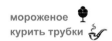

мороженое
курить трубки

человек нестарый и интересный, ему было лет шестьдесят. У него были седые волосы,* полное добродушное лицо и приятная улыбка.

Нарумов представил Германна. Чекалинский дружески пожал ему руку* и продолжил играть. Игра шла долго, но вот, наконец, она закончилась и началась новая.

— Я бы хотел поставить карту, — сказал Германн.

— Посмотрите на Германна! Он наконец решил играть в карты! Надеюсь, Фортуна будет на твоей стороне!* — сказал Нарумов.

— Сколько денег вы хотите поставить на карту? — спросил Чекалинский. — Извините, я не вижу.

— Сорок семь тысяч, — ответил Германн.

При этих словах все посмотрели на Германна. «Он сошёл с ума!»* — подумал Нарумов.

— Это очень большие деньги, — сказал Чекалинский.

седые волосы волосы серого цвета у старого человека
пожать руку 🤝

Фортуна будет на твоей стороне! Фортуна поможет тебе!
сойти с ума быть психически ненормальным

— Что же? — спросил Германн. — Вы будете играть или нет?

— Я вам только хотел сказать, что мы играем на наличные деньги. Я, конечно, уверен, что у вас есть эта сумма, но для игры я прошу вас поставить деньги на карту.

Германн взял деньги и подал их Чекалинскому, а тот поставил их на карту Германна. Хозяин стал метать.* Направо была девятка, налево — тройка.

— Моя карта выиграла! — сказал Германн и показал свою карту. В руках у него была тройка.

— Пожалуйста, вы выиграли, вот ваши деньги, — Чекалинский взял деньги и подал их Германну.

Германн взял деньги и отошёл от стола. Потом он выпил стакан* лимонада и пошёл домой.

На другой день вечером Германн опять был у Чекалинского. Хозяин метал. Германн подошёл к столу. Игроки дали ему место. Германн поставил все свои деньги на карту. Чекалинский стал метать. Направо был валет, налево — семёрка.

метать   стакан ⊔

Германн открыл семёрку.

Все ахнули.* Чекалинский не мог сказать ни слова. Он отсчитал девяносто четыре тысячи и передал их Германну. Германн взял деньги и в ту же минуту ушёл домой.

На следующий вечер Германн был опять у карточного стола. Все его ждали. Генералы и офицеры оставили свой вист, чтобы видеть игру Чекалинского и Германна. Все официанты пришли в гостиную. Никто из игроков не играл, все смотрели на Германна. Германн стоял у стола и готовился один играть против Чекалинского. Это было похоже на дуэль. Чекалинский улыбался, но лицо его было бледное. Германн взял карту и поставил на неё все свои деньги. Чекалинский стал метать, руки его тряслись.* Направо была дама, налево — туз.

— Туз выиграл! — сказал Германн и открыл свою карту.

— Нет, у вас не туз, а дама! Дама ваша проиграла, — сказал Чекалинский.

ахнули сказать "Ах", быть шокированным

руки трясутся руки двигаются от нервного шока или эмоций

Германн вздрогнул: вместо туза в руках у него была пиковая дама. Он не верил своим глазам... Это ошибка, это ужасная ошибка! Как он мог взять пиковую даму!

В эту минуту ему показалось, что пиковая дама на карте посмотрела на него и усмехнулась.* Пиковая дама была очень похожа на старую графиню.

— Старуха!* — закричал он в ужасе.

Чекалинский взял все деньги. Германн стоял неподвижно. Когда он отошёл от стола, все заговорили.

— Вот это игра! — говорили игроки.

Чекалинский взял карты. Началась новая игра.

усмехнуться улыбнуться   **старуха** старая женщина
саркастически

ЗАКЛЮЧЕНИЕ

Германн сошёл с ума. Он сидит в Обуховской больнице* в 17-м номере, не отвечает ни на какие вопросы и только быстро повторяет слова: «Тройка, семёрка, туз! Тройка, семёрка, дама!..»

Лизавета Ивановна, Лиза, вышла замуж* за очень приятного молодого человека, он сын бывшего управителя* у старой графини. Он где-то служит,* у него есть хороший капитал. У Лизаветы Ивановны в доме живёт бедная родственница, её воспитанница.

Томский стал ротмистром* и женится на княжне Полине.

 больница
выйти замуж для женщины: иметь семью и мужа
управитель менеджер

служить работать на интеллектуальной работе
ротмистр капитан в кавалерии

Упражнения после чтения

1 Напишите правильный ответ.

1 Германн —
   - а ☐ рассказал Томскому о трёх картах.
   - б ☑ постоянно думал о трёх картах.
   - в ☐ не думал о трёх картах.

2 Три карты Германна–
   - а ☐ тройка, семёрка, дама.
   - б ☐ тройка, семёрка, король.
   - в ☐ тройка, семёрка, туз.

3 Чекалинский
   - а ☐ был известным игроком в карты.
   - б ☐ был известным актёром.
   - в ☐ был известным музыкантом.

4 Молодые богатые люди в Петербурге
   - а ☐ играли в карты у Чекалинского.
   - б ☐ не любили Чекалинского.
   - в ☐ не знали, кто такой Чекалинский.

5 Нарумов
   - а ☐ привёз Германна к императору.
   - б ☐ привёз Германна к Томскому.
   - в ☐ привёз Германна к Чекалинскому.

6 Германн решил
   - а ☐ играть в карты у Чекалинского.
   - б ☐ не играть в карты у Чекалинского.
   - в ☐ играть в домино у Чекалинского.

7 В доме у Чекалинского
   - а ☐ было мало гостей.
   - б ☐ было много гостей.
   - в ☐ был бал.

8 Нарумов сказал, что Фортуна
   - а ☐ будет на его стороне.
   - б ☐ будет на стороне Германна.
   - в ☐ будет на стороне Томского.

9 Германн в первый раз поставил
   - а ☐ семь рублей на карту.
   - б ☐ сорок семь рублей на карту.
   - в ☐ сорок семь тысяч рублей на карту.

10 Германн поставил
   - а ☐ деньги на тройку и выиграл.
   - б ☐ деньги на тройку и проиграл.
   - в ☐ деньги на семёрку и проиграл.

70

11 Германн

- а ☐ после игры пошёл в ресторан.
- б ☐ после игры пошёл в театр.
- в ☐ после игры пошёл домой.

12 На следующий вечер

- а ☐ Германн не играл.
- б ☐ Германн пошёл к Чекалинскому.
- в ☐ Германн пошёл к Нарумову.

13 Германн во второй раз

- а ☐ поставил на семёрку и выиграл.
- б ☐ поставил на семёрку и проиграл.
- в ☐ не играл.

14 Германн выиграл

- а ☐ четыре тысячи рублей.
- б ☐ девяносто четыре тысячи рублей.
- в ☐ один миллион рублей.

15 На третий день

- а ☐ Чекалинский не играл.
- б ☐ все ждали Германна.
- в ☐ Германн не играл.

16 Германн в третий раз поставил

- а ☐ на тройку вместо туза.
- б ☐ на семёрку вместо туза.
- в ☐ на пиковую даму вместо туза.

17 Старая графиня

- а ☐ отомстила Германну за свою смерть.
- б ☐ помогла Германну.
- в ☐ пришла на игру в карты.

18 Германн

- а ☐ выиграл деньги и стал миллионером.
- б ☐ поехал во Францию.
- в ☐ сошёл с ума и сидит в больнице.

19 Лиза

- а ☐ вышла замуж за хорошего человека.
- б ☐ поехала во Францию.
- в ☐ сошла с ума и сидит в больнице.

20 Томский стал ротмистром и

- а ☐ женится на Лизе.
- б ☐ женится на княжне Полине.
- в ☐ едет во Францию.

Время

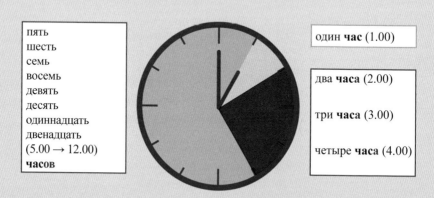

пять
шесть
семь
восемь
девять
десять
одиннадцать
двенадцать
(5.00 → 12.00)
часов

один **час** (1.00)

два **часа** (2.00)

три **часа** (3.00)

четыре **часа** (4.00)

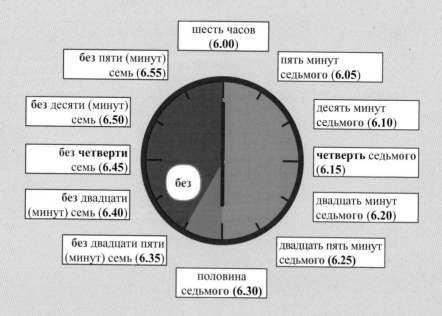

шесть часов
(**6.00**)

без пяти (минут)
семь (**6.55**)

пять минут
седьмого (**6.05**)

без десяти (минут)
семь (**6.50**)

десять минут
седьмого (**6.10**)

без **четверти**
семь (**6.45**)

четверть седьмого
(**6.15**)

без двадцати
(минут) семь (**6.40**)

двадцать минут
седьмого (**6.20**)

без двадцати пяти
(минут) семь (**6.35**)

двадцать пять минут
седьмого (**6.25**)

половина
седьмого (**6.30**)

1 Соедините время (буквы а-п) и часы (цифры 1-15).

а один час	**б** два часа	**в** без четверти три
г пять часов	**д** без четверти шесть	**е** без пяти минут семь
ж без четверти восемь	**з** десять минут девятого	**и** девять часов
к двадцать минут десятого	**л** десять часов	**м** половина одиннадцатого
н двадцать минут двенадцатого	**о** половина двенадцатого	**п** двенадцать часов

1 a☐ 2 ☐ 3 ☐ 4 ☐ 5 ☐

6 ☐ 7 ☐ 8 ☐ 9 ☐ 10 ☐

11 ☐ 12 ☐ 13 ☐ 14 ☐ 15 ☐

2 Нарисуйте время.

1 Офицеры сели ужинать в пять часов утра.

2 Поздно уже, без четверти шесть, пора всем ехать домой.

3 Приходите в дом графини в половине двенадцатого.

4 Германн ждал вечера. Уже в десять часов он был перед домом графини.

5 Он посмотрел на часы: было двадцать минут двенадцатого.

6 У него спрашивали: «Который час?» — он отвечал: «Без пяти минут семь».

7 Три дня после роковой ночи, в девять часов утра, Германн поехал в монастырь, где были похороны графини.

8 Германн проснулся ночью. Было без четверти три.

Александр Сергеевич Пушкин

Автопортрет Пушкина

ПУШКИН — НАШЕ ВСЁ

Литературный критик Аполлон Григорьев так сказал о Пушкине: «Пушкин — наше всё». Пушкин — первый поэт России. Пушкин для нас значит то, что Данте значит для итальянцев, Шекспир для англичан, Гёте для немцев. Пушкин – создатель современного русского литературного языка. Книги Пушкина актуальны и в наши дни.

ДЕТСТВО

Великий русский поэт и писатель Александр Сергеевич Пушкин родился в Москве 26 мая 1799 года в дворянской семье. В семье Пушкиных было пятеро детей: старшая сестра Ольга, Александр и три младших брата. Отец Пушкина, Сергей Львович, любил литературу, у него была большая домашняя библиотека. Дядя Пушкина, Василий Львович, был известным поэтом. В семье Пушкина все говорили по-французски, домашним учителем у него тоже был француз, аристократ-эмигрант, граф Эжен-Шарль-Амори де Монфор.

ЛИЦЕЙ

В 1811 году Пушкин начал учиться в Лицее. У каждого мальчика была своя комната. В комнате было мало мебели, только железная кровать, комод, стол и стул. Мальчики вставали рано, в шесть часов утра, потом одевались, шли в зал на молитву, потом шли в класс, учились с семи до девяти часов, потом завтракали и шли на прогулку. С десяти до двенадцати часов они снова учились, потом обедали, потом снова гуляли и снова учились. Вечером, в половине девятого, мальчики ужинали и потом до десяти часов писали, читали книги, занимались спортом. В десять часов мальчики шли в свои комнаты и ложились спать.

Царскосельский лицей

ВОЙНА 1812 ГОДА

В июне 1812 года армия Наполеона перешла через реку Неман и вошла в русский город Ковно. Началась Отечественная война. Французы дошли до Москвы, взяли её, но потом были вынуждены отступать. В 1814 году русская армия вошла в Париж. Это была великая победа России. Война 1812 года пробудила в русских людях чувство любви к Родине. Поэт будет много раз писать о войне 1812 года.

ССЫЛКА

После Лицея Пушкин переехал в Петербург, где пошёл на службу в министерство иностранных дел. Пушкин не любил службу, она для него была очень скучная. Пушкин любил жизнь: поэтические вечера, балы, театры, модные рестораны. Поэт писал эпиграммы и политическую лирику, но это вызвало скандал в Петербурге. В 1820 году царь Александр I отправил Пушкина в ссылку на юг России. Поэт много путешествовал: Феодосия, Алупка, Бахчисарай, Одесса, Кишинёв. В Крыму он написал поэмы «Кавказский пленник», «Бахчисарайский фонтан», «Цыганы».

ДЕКАБРИСТЫ

Декабристы — это молодые дворяне, офицеры, герои войны 1812 года. Декабристы были первой политической оппозицией в истории России. 14 декабря 1825 года они вышли на Сенатскую площадь в Петербурге и потребовали от нового царя Николая I политических реформ и конституции. Почти все друзья Пушкина были на Сенатской площади. Пушкин ничего не знал, он был в ссылке. После восстания 14 декабря сто двадцать человек были сосланы в Сибирь, пятерых человек приговорили к смерти. Это было ужасной трагедией для Пушкина и для России.

ТРИДЦАТЫЕ ГОДЫ

В 1826 году у Пушкина была встреча с новым царём Николаем I. Новый царь разрешил Пушкину жить и работать в Петербурге, но полиция продолжала контролировать поэта. Пушкин много работал, писал, издавал журнал, но у него всегда были проблемы с деньгами.

В 1831 году Александр Сергеевич Пушкин женился на Наталье Гон-

П.Ф. Соколов. Портрет А.С. Пушкина

А.П. Брюллов. Портрет Н.Н. Пушкиной

Музей-квартира А. С. Пушкина в Петербурге

чаровой. Перед женитьбой поэт уехал в свой дом в Болдино. В то время в Москве была эпидемия холеры и карантин. Пушкин не мог вернуться в Москву. Поэт жил три месяца в Болдино. Там он написал свои лучшие работы, такие как «Капитанская дочка», «Повести Белкина» и «Маленькие трагедии»; там же он закончил роман в стихах «Евгений Онегин».

У Пушкина и Натальи Гончаровой было четверо детей: две дочери и два сына. Наталья Гончарова была очень красивой женщиной. В 1837 году Пушкин получил анонимное письмо, где плохо говорили о его жене. 27 января 1837 года на Чёрной речке была дуэль между Пушкиным и Дантесом. 29 января Пушкина не стало.

Первое издание «Пиковой дамы»

«ПИКОВАЯ ДАМА»

Пушкин написал «Пиковую даму» в октябре – ноябре 1833 года в Болдино и опубликовал её в журнале «Библиотека для чтения» 1 марта 1834 года. «Пиковая дама» сразу стала очень популярной в России и Европе. Русский композитор Пётр Ильич Чайковский написал оперу «Пиковая дама».

Прототип старой графини – княгиня Наталья Петровна Голицына

ПРОТОТИПЫ «ПИКОВОЙ ДАМЫ»

В 1828 году молодой князь Голицын рассказал Пушкину одну интересную историю: бабушка его, **княгиня Наталья Петровна Голицына**, в молодости жила в Париже. Однажды она проиграла много денег. Известный алхимик граф Сен-Жермен открыл ей секрет трёх карт, и она отыграла все свои деньги. Эта история и стала «Пиковой дамой». Вторым прототипом старой графини была **Наталья Кирилловна Загряжская**. Она была капризной и эгоистичной женщиной и очень любила карты.

У Загряжской не было детей. В её доме жила дочь её сестры, **Маша Васильчикова**. Наталья Кирилловна любила свою воспитанницу, но жить молодой девушке в доме капризной и эгоистичной тёти было так же трудно, как и пушкинской Лизе.

Прототип старой графини – Наталья Кирилловна Загряжская

Граф Сен-Жермен — авантюрист, путешественник, алхимик и оккультист. Мы не знаем, кто он, где и когда он родился. Мы знаем, что он был человеком большой культуры и говорил на всех европейских языках. Граф хорошо знал историю и химию, он занимался «улучшением» бриллиантов и алхимическим получением золота.

А кто был прототипом **Германна**? Историк и специалист Государственного архива Ольга Эдельман думает, что им был декабрист Павел Пестель. Пестель был из обрусевших немцев, внешне он был похож на Наполеона. Про Пестеля говорили, что он был амбициозным, скрытным, рациональным и прагматичным человеком. А может быть, прототипом Германна был сам Наполеон? Кто знает...

Прототип Лизы – княгиня Мария Васильевна Кочубей (урождённая Васильчикова)

Прототип Германна – Павел Иванович Пестель

Тест

Напишите правильный ответ.

1 Пушкин –
   - а ☐ великий философ России.
   - б ☑ великий поэт России.
   - в ☐ великий историк России.

2 Пушкин –
   создатель
   современного
   - а ☐ русского театра.
   - б ☐ русского искусства.
   - в ☐ русского литературного языка.

3 Книги Пушкина
   - а ☐ актуальны в наши дни.
   - б ☐ не актуальны в наши дни.
   - в ☐ написаны на французском языке.

4 Пушкин родился
   - а ☐ в Петербурге в дворянской семье.
   - б ☐ в Москве в дворянской семье.
   - в ☐ в Киеве в дворянской семье.

5 Пушкин учился
   - а ☐ в Царскосельском Лицее.
   - б ☐ в Царскосельской Гимназии.
   - в ☐ в Царскосельском Университете.

6 После Лицея
   Пушкин работал
   - а ☐ в университете.
   - б ☐ в театре.
   - в ☐ в министерстве иностранных дел.

7 Пушкин
   - а ☐ любил своих коллег в министерстве.
   - б ☐ любил службу в министерстве.
   - в ☐ не любил службу в министерстве.

8 Политическая
   лирика Пушкина
   - а ☐ очень понравилась царю.
   - б ☐ вызвала скандал в Петербурге.
   - в ☐ выиграла городской конкурс поэзии.

9 Александр I
   отправил
   Пушкина
   - а ☐ в ссылку в Сибирь.
   - б ☐ в ссылку на север России.
   - в ☐ в ссылку на юг России.

10 Николай I
   разрешил
   Пушкину
   - а ☐ жить и работать в Петербурге.
   - б ☐ жить и работать в Италии.
   - в ☐ жить и работать во Франции.

11 В Петербурге Пушкин

    а ☐ много работал.
    б ☐ мало работал.
    в ☐ не работал.

12 Великий поэт ещё при жизни

    а ☐ стал богатым.
    б ☐ стал символом эпохи.
    в ☐ получил Нобелевскую премию.

13 В 1833 году в Болдино Пушкин

    а ☐ написал «Бахчисарайский фонтан».
    б ☐ написал «Пиковую даму».
    в ☐ написал «Капитанскую дочку».

14 «Пиковая дама» – это

    а ☐ повесть с мистическими элементами.
    б ☐ классический детективный роман.
    в ☐ сказка для детей.

15 «Пиковая дама» написана

    а ☐ на тему войны 1812 года.
    б ☐ на тему судьбы, фортуны, рока.
    в ☐ на тему несчастной любви.

16 Герой повести Германн –

    а ☐ молодой дипломат.
    б ☐ молодой офицер кавалерии.
    в ☐ молодой инженерный офицер.

17 Германн случайно узнаёт

    а ☐ о секрете трёх слов.
    б ☐ о секрете трёх карт.
    в ☐ о секрете трёх императоров.

18 Германн знакомится с Лизой

    а ☐ для изучения немецкого языка.
    б ☐ для интеллектуального диалога.
    в ☐ для достижения своей цели.

19 Лизавета Ивановна –

    а ☐ дочь графини Томской.
    б ☐ сестра графини Томской.
    в ☐ бедная воспитанница графини.

20 В конце повести Германн

    а ☐ не играет в карты.
    б ☐ выигрывает деньги и уезжает в Париж.
    в ☐ проигрывает деньги и сходит с ума.

Содержание коммуникативно-речевой компетенции

В этой книге представлены **следующие темы для изучения**:

«Биография А.С. Пушкина»

«Культурно-историческая информация о России начала XIX века»

«Фразеологизмы со словом «душа» и их значение с примерами»

Лексика по теме:

«Игра в карты»

«Одежда»

«Комната»/«Мебель»

«Время»

Грамматические структуры:

Именительный, родительный, дательный, винительный, творительный, предложный падежи существительных и прилагательных

Краткие прилагательные

Личные, притяжательные, относительные, указательные, отрицательные, вопросительные местоимения

Глаголы в настоящем, прошедшем и будущем времени

Глаголы движения с приставками и без приставок

Инфинитив

Несовершенный и совершенный вид глагола

Количественные и порядковые числительные

Качественные и количественные наречия, наречия места и времени

Прямая речь

Порядок слов в предложении

Адаптированное (ЕН) чтение

Начальный уровень

А. С. Пушкин. Пиковая дама

Олеся Балтак. Санкт-Петербург от А до Я